Où est le Petit MacNessie?

Where is Wee MacNessie?

by Pauline Mackay   illustrations by Shelley Mackay
translation by Delphine Marzin

Ablekids Press

Le soleil brille sur le Loch Ness après la pluie.

The sun is shining on Loch Ness after the rain.

Suzie, Fergus et Dolly s'amusent, mais où est le Petit MacNessie ?

Suzie, Fergus and Dolly are playing, but where is Wee MacNessie?

« Regardez ! », dit Dolly en riant.
« Il se cache dans le château ! »

"Look!" laughs Dolly. "He's hiding
in the castle!"

Non, il n'y est pas.

No, he isn't.

« Je sais ! », dit Fergus en coassant.

"I know!" croaks Fergus.

« Il se cache en haut de cet arbre ! »

"He's hiding up this tree!"

Non, il   ' n'y est   'pas !

No,

he

isn't!

Non, il n'y est pas.

No, he isn't.

Les amis du Petit MacNessie n'arrivent pas à le trouver.

Wee MacNessie's friends can't find him.

« Est-ce qu'il rend visite à sa
Tante Morag au Loch Morar ? »
se demandent-ils.

"Is he visiting his
Auntie Morag in Loch
Morar?" they wonder.

Non, il n'y est pas.

Ce matin, le Petit MacNessie a essayé d'attraper un arc-en-ciel et a traversé tout le Loch Ness jusqu'à l'île aux Cerises,

No, he isn't.

This morning, Wee MacNessie chased a rainbow down Loch Ness to Cherry Island,

et il est toujours sur l'île… profondément endormi !

and he is still there… fast asleep!

Published by Ablekids Press Ltd
46 Ballifeary Road
Inverness
IV3 5PF
Great Britain
www.ablekidspress.com

Written by Pauline Mackay
Illustrated by Shelley Mackay
Translated by Delphine Marzin

ISBN 978-0-9575427-3-0

Printed in Scotland by J.Thomson Colour Printers

British Library Cataloguing in Publication Data
A catalogue record for this book is available from the British Library.